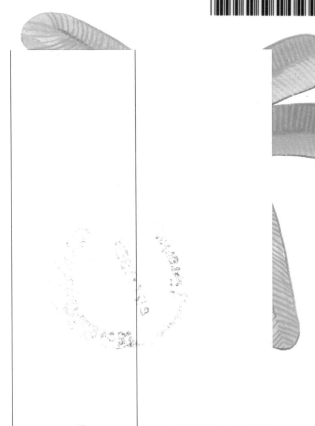

রঙবেরঙের কামিনী

গল্প রাধিকা চাড্ডা

চিত্র প্রিয়া কুরিয়ান

অনুবাদ সোনালী প্রকাশ

Tulika

বাহাদুর কলাবনে দাঁড়িয়ে এদিক ওদিক দেখছিল।
কামিনী কোথায়?

হঠাৎ পাশ থেকে কি একটা নড়ে উঠল।

"কামিনী! তুমিতো সবুজ হয়ে গেছ, একেবারে
কলাপাতার মত," বলল বাহাদুর।

কামিনী ফিক্ফিক্ করে হেসে উঠল। গিরগিটিদের
খুব মজা লাগে যখন ওদের কেউ খুঁজে পায়না।

"আমরা রঙ-ম্যাচিং করছি," ও বলল,
"সবাই মিলে।"

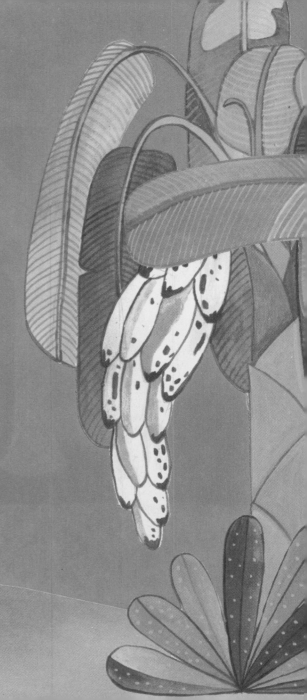

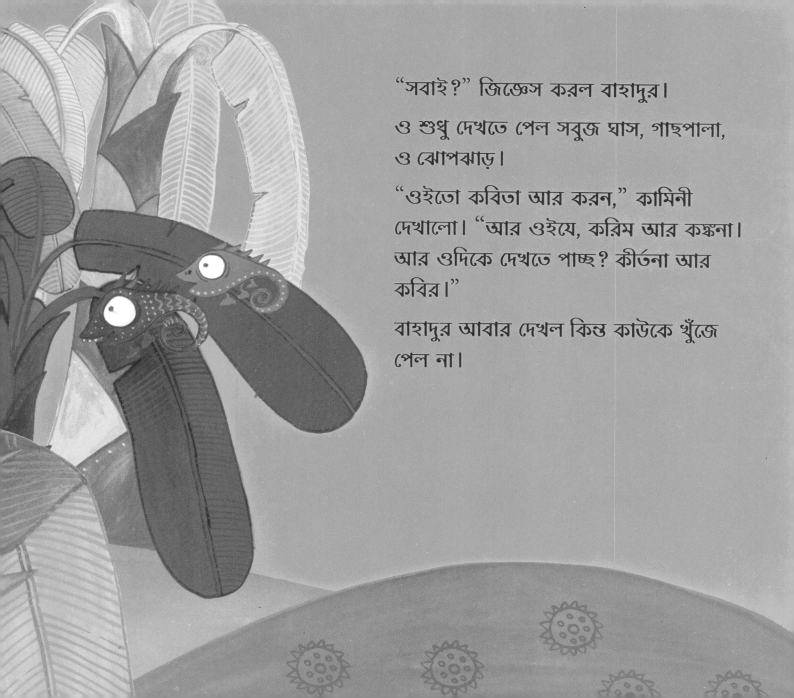

"সবাই?" জিজ্ঞেস করল বাহাদুর।

ও শুধু দেখতে পেল সবুজ ঘাস, গাছপালা, ও ঝোপঝাড়।

"ওইতো কবিতা আর করন," কামিনী দেখালো। "আর ওইযে, করিম আর কঙ্কনা। আর ওদিকে দেখতে পাচ্ছ? কীর্তনা আর কবির।"

বাহাদুর আবার দেখল কিন্তু কাউকে খুঁজে পেল না।

"বোকা বাহাদুর! সবাইতো সবুজ-ম্যাচিং প্র্যাকটিস করছে" বলল কামিনী।

সব গিরগিটিরা সবুজ হয়ে গেছিল, যে পাতায় ওরা বসে ছিল, ঠিক তার মত।

তাইতো বাহাদুর ওদের দেখতে পায়নি।

"গিরগিটিরা দারুন লুকোচুরি খেলতে পারে," বাহাদুর বলল।

"সেইভাবেই তো আমরা নিজেদের রক্ষা করি," বলল কামিনী। "ও বাহাদুর, কপিলাকাকী এলে আমি রঙ-ম্যাচিং করতে পারবতো!"

"কেন পারবে না?" জিজ্ঞেস করল বাহাদুর।

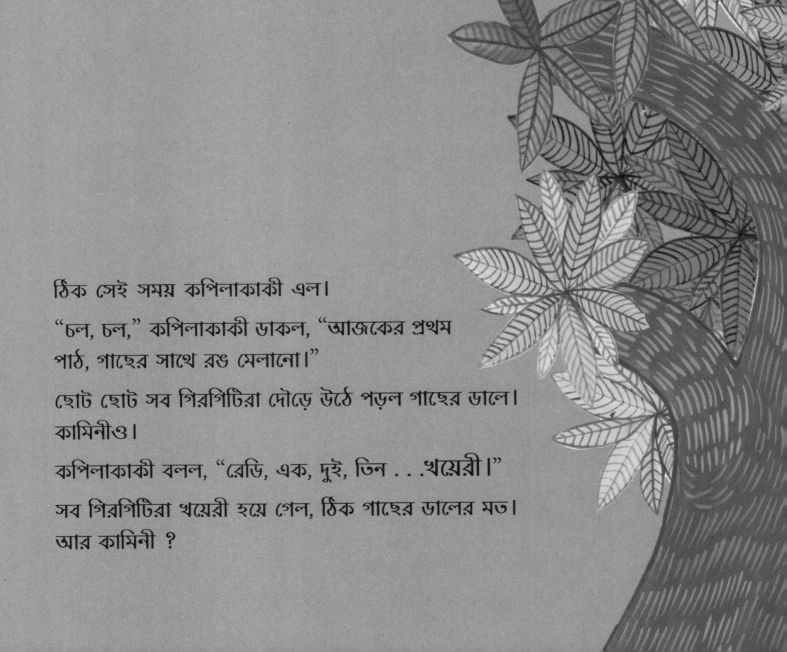

ঠিক সেই সময় কপিলাকাকী এল।

"চল, চল," কপিলাকাকী ডাকল, "আজকের প্রথম পাঠ, গাছের সাথে রঙ মেলানো।"

ছোট ছোট সব গিরগিটিরা দৌড়ে উঠে পড়ল গাছের ডালে। কামিনীও।

কপিলাকাকী বলল, "রেডি, এক, দুই, তিন . . . খয়েরী।"

সব গিরগিটিরা খয়েরী হয়ে গেল, ঠিক গাছের ডালের মত। আর কামিনী ?

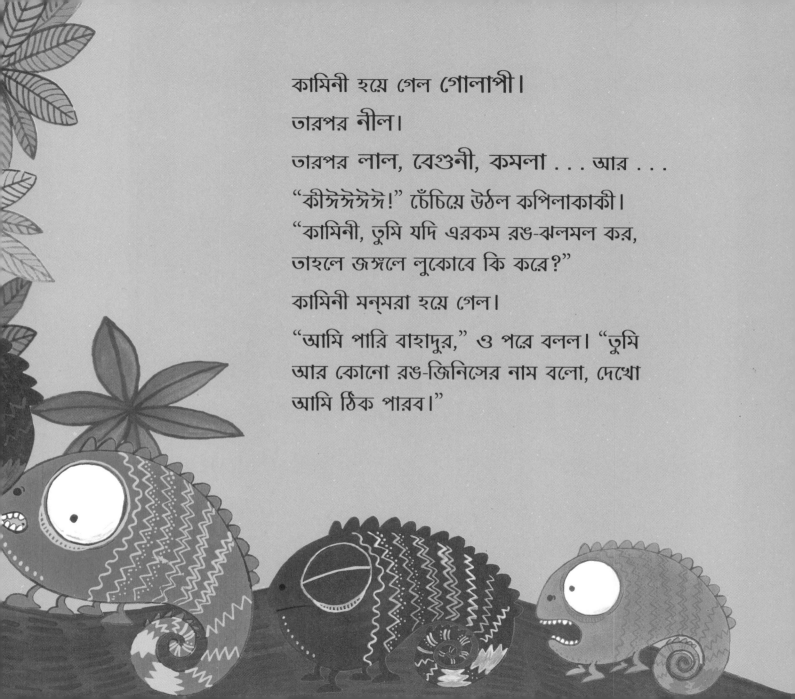

কামিনী হয়ে গেল গোলাপী।

তারপর নীল।

তারপর লাল, বেগুনী, কমলা . . . আর . . .

"কীঈঈঈঈ!" চেঁচিয়ে উঠল কপিলাকাকী।
"কামিনী, তুমি যদি এরকম রঙ-ঝলমল কর,
তাহলে জঙ্গলে লুকোবে কি করে?"

কামিনী মন্মরা হয়ে গেল।

"আমি পারি বাহাদুর," ও পরে বলল। "তুমি
আর কোনো রঙ-জিনিসের নাম বলো, দেখো
আমি ঠিক পারব।"

বাহাদুর ভেবে ভেবে কটা রঙ-জিনিসের নাম ডাকতে থাকল।

"টমেটো!" বলে উঠল বাহাদুর, আর তক্ষুনি কামিনী হয়ে গেল টকটকে লাল।

"সূয্যোমুখী!" বলতেই কামিনী সোনালী হলুদ হয়ে গেল।

"তুমি কপিলাকাকীর সামনে করতে পারলে না কেন?"বাহাদুর জিজ্ঞেস করল।

"কারণ আমি চট করে ঘাবড়ে যাই। আর ঘাবড়ে গেলেই আমি রঙ-ঝলমল্ করি," কামিনী বলল। "আমার কি হবে বাহাদুর? সব বন্ধুরা নতুন নতুন জিনিস শিখবে, আমি শুধু এখানেই পড়ে থাকব।"

ওর বন্ধুর কথা ভেবে বাহাদুরের খুব কষ্ট হল।

বাড়ি গিয়ে ও দেখল কপিলাকাকী অম্মা ও হুতোস্ত্রি ঘোড়ার সাথে কথা বলছে।

"এরা কি কামিনীকে নিয়ে কথা বলছে?" ভাবল বাহাদুর।

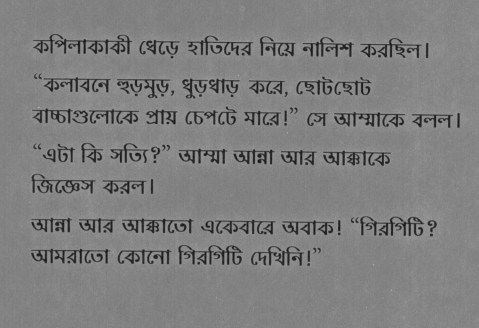

কপিলাকাকী ধেড়ে হাতিদের নিয়ে নালিশ করছিল।

"কলাবনে হুড়মুড়, ধুড়ধাড় করে, ছোটছোট বাচ্চাগুলোকে প্রায় চেপটে মারে!" সে আম্মাকে বলল।

"এটা কি সত্যি?" আম্মা আন্না আর আক্কাকে জিজ্ঞেস করল।

আন্না আর আক্কাতো একেবারে অবাক! "গিরগিটি? আমরাতো কোনো গিরগিটি দেখিনি!"

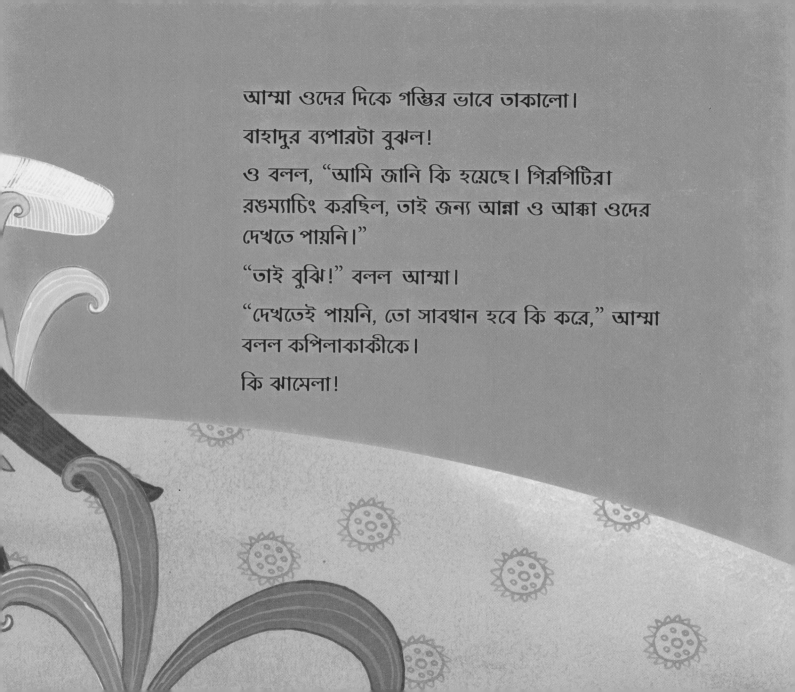

আম্মা ওদের দিকে গম্ভির ভাবে তাকালো।

বাহাদুর ব্যপারটা বুঝল!

ও বলল, "আমি জানি কি হয়েছে। গিরগিটিরা রঙম্যাচিং করছিল, তাই জন্য আন্না ও আক্কা ওদের দেখতে পায়নি।"

"তাই বুঝি!" বলল আম্মা।

"দেখতেই পায়নি, তো সাবধান হবে কি করে," আম্মা বলল কপিলাকাকীকে।

কি ঝামেলা!

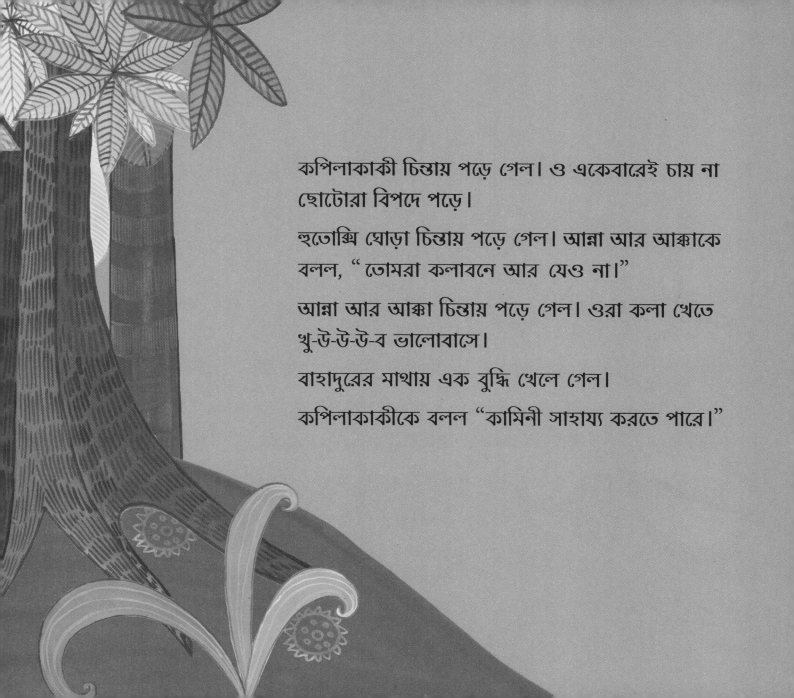

কপিলাকাকী চিন্তায় পড়ে গেল। ও একেবারেই চায় না ছোটোরা বিপদে পড়ে।

হুতোক্সি ঘোড়া চিন্তায় পড়ে গেল। আন্না আর আক্কাকে বলল, "তোমরা কলাবনে আর যেও না।"

আন্না আর আক্কা চিন্তায় পড়ে গেল। ওরা কলা খেতে খু-উ-উ-উ-ব ভালোবাসে।

বাহাদুরের মাথায় এক বুদ্ধি খেলে গেল।

কপিলাকাকীকে বলল "কামিনী সাহায্য করতে পারে।"

“কামিনী?” অবাক হয়ে জিজ্ঞেস করল কপিলাকাকী।
“ও তো রঙ-ম্যাচিংই করতে পারে না।”

“ও পারে,” চেঁচিয়ে বলল বাহাদুর।

আম্মা বলল, “ও সাহায্য করবে কিকরে?”

বাহাদুর সবাইকে ওর আইডিয়া বলল।

কপিলাকাকী আম্মার দিকে তাকালো।

আম্মা আন্না আর আক্কার দিকে তাকালো।

আন্না আর আক্কা কলার দিকে তাকালো।

সবাই একসাথে বলে উঠল, “তাই ভালো!”

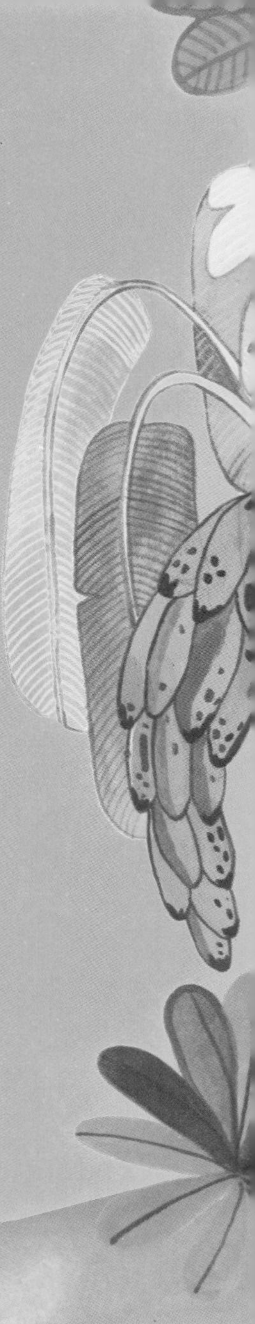

এখন রোজ রঙ-প্র্যাকটিসের সময় কামিনী দারোয়ানি করে।
কেউ কলাবনের কাছে এলেই ও চট করে ঘাবড়ে যায়।
আর কামিনী ঘাবড়ে গেলে কি হয়?
ও রঙ-ঝলমল করতে শুরু করে।
লাল, খয়েরী, সবুজ।
গোলাপী, নীল, রুপোলী।
নাহলে, কমলা, কালো, বেগুনি।

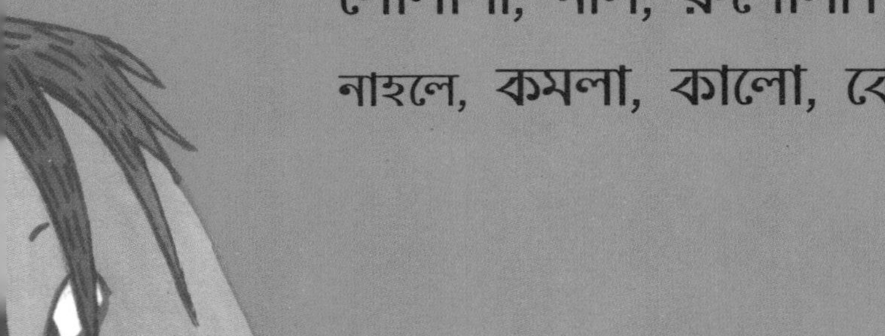

আন্না আর আক্কা সেই ঝলমলে রঙ দেখতে পায়।

ওরা পাটিপেটিপে চলে যায় আর আবার পরে ফিরে আসে।

সবাই এখন খুশী।

কামিনী বন্ধুদের সাথে থাকতে পারছে বলে খুশী।

ছোটো গিরগিটিরা কলাবনে ঠিকঠাক আছে বলে
কপিলাকাকী খুশী।

কেউ ওদের বকুনি দিচ্ছে না বলে আন্না আর আক্কা খুশী।

আর তারা রোজ বাহাদুরের জন্য অনেক পাকা পাকা কলা
নিয়ে আসে।

For Gita and Girish, my Akka and Anna – *R.C.*

For my niece Sarah, who never ceases to surprise me – *P.K.*

Rongberonger kamini (Bangla)
ISBN 81-8146-396-8
© *text* Tulika Publishers
© *illustrations* Priya Kuriyan
First published in India, 2007
Translated from the English

Published by
Tulika Publishers, 13 Prithvi Avenue, Abhiramapuram, Chennai 600 018, India
email tulikabooks@vsnl.com   *website* www.tulikabooks.com

Printed and bound by
Rathna Offset Printers, 40 Peters Road, Royapettah, Chennai 600 014, India

www.tulikabooks.com   For more information about Tulika or to order books visit our website.